BAOBONBON

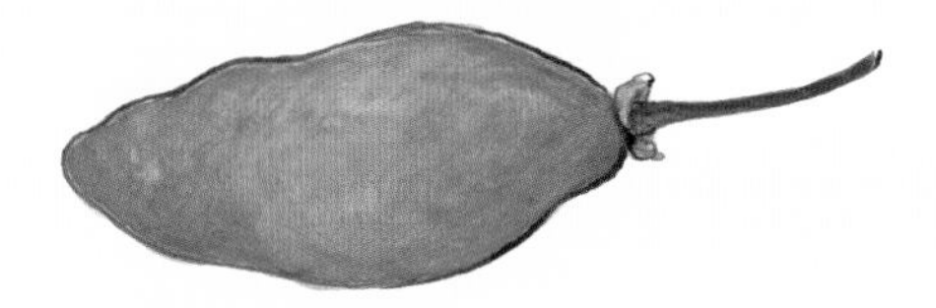

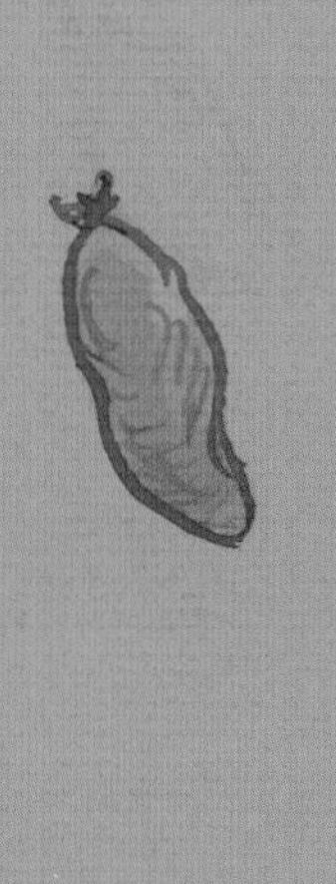

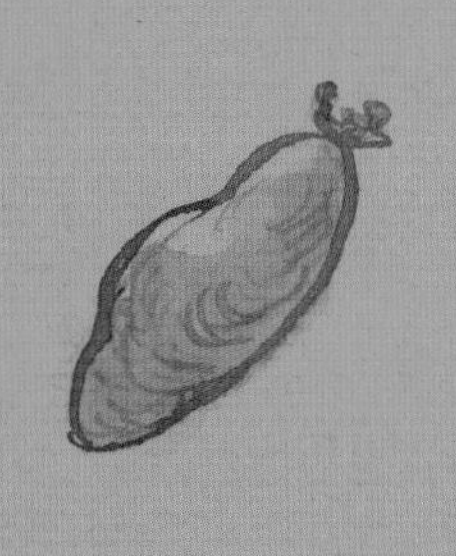

À Juma, Bakali, Mina et Neshika

ISBN 2-211-06893-2
Première édition dans la collection « lutin poche » : octobre 2002

Loi numéro 49 956 du 16 juillet 1949 sur les publications
destinées à la jeunesse : septembre 2001
Dépôt légal : octobre 2021
Imprimé en France par Pollina à Luçon - 40067

SATOMI ICHIKAWA

BAOBONBON

les lutins de l'école des loisirs
11, rue de Sèvres, Paris 6e

Je m'appelle Paa.
Dans ma langue, cela veut dire *gazelle*.
C'est parce que je suis très léger
et que je cours aussi vite qu'une gazelle.
J'habite dans la montagne où poussent
des bananiers. Aujourd'hui, maman m'a dit :
« Paa, tu veux bien aller au marché samedi,
vendre nos bananes ?
Avec l'argent, tu achèteras de l'huile,
du sel, du café, du savon et des allumettes. »
« Pas de problème, maman », j'ai répondu.

Samedi matin, je me suis levé très tôt,
j'ai posé un gros régime de bananes
en équilibre sur ma tête
et je suis descendu de la montagne.
Les dernières étoiles étaient là
pour m'accompagner.
L'air de la nuit africaine était frais et doux.

Puis, le jour a pointé à l'horizon.
Le ciel est devenu rose et les oiseaux
se sont mis à chanter. J'ai aperçu
le village qui n'était plus très loin.
En moins d'une heure, je serai au marché.

Tout à coup, qu'est-ce que je vois ? Une gazelle !
Je n'ai pas pu résister : j'ai posé mes bananes pour faire la course avec elle.

J’ai failli gagner, mais elle était vraiment très,très rapide.

Quand j'ai repris mon chemin, le régime de bananes m'a semblé beaucoup plus lourd. Je l'ai chargé sur mon dos, mais c'était toujours aussi lourd. En plus, le soleil me tapait sur la tête.

Ouf ! Que c'était bon de s'asseoir un peu à l'ombre !
Ça me sauvait la vie.
« Ah, j'ai chaud et j'ai soif ! » ai-je dit tout haut.
« Ah, j'ai chaud et j'ai soif ! »
a répété une voix enrouée, derrière moi.
« Mais qui parle donc ? »

«C'est moi», a gémi la voix enrouée.
«C'est toi qui parles, Baobab ?»
Je me suis levé pour mieux
le regarder.
«Comme tu es énorme !
On dirait que tu as planté
tes racines dans le ciel !»
Baobab s'est mis à rire :
«C'est peut-être pour ça
que j'ai si chaud et si soif !»
«Mais oui, je comprends.
Et toi, tu n'as même pas d'ombre
pour t'abriter !»

«Attends-moi, Baobab!
Je vais vite chercher de l’eau!»

«Ohé ! Baobab a chaud
et soif ! Aidez-moi
à lui porter de l'eau !»

«Porter de l'eau jusqu'au baobab?
Combien tu paies?» a demandé un garçon.
«Je n'ai pas d'argent», ai-je répondu,
«mais je peux vous payer avec des bananes.»

J'ai négocié. Nous nous sommes mis d'accord. Un seau d'eau chacun, deux bananes chacun. Comme ça, il me resterait encore la moitié des bananes à vendre au marché.

Mais quand nous sommes arrivés avec l'eau, il n'y avait plus que les peaux des bananes au pied de Baobab. «Ah! Les babouins! Ce sont eux, les voleurs!» Mince alors! Je n'avais plus de quoi payer les seaux d'eau.

Je n'avais plus rien à vendre au marché.
Et je n'allais pas pouvoir acheter d'huile, ni de sel.
Rien, même pas les allumettes…
Qu'est-ce que maman allait dire ?

«Puis-je vous offrir
mes fruits à la place
des bananes ?» a dit
Baobab d'un air désolé.
Nous avons levé les yeux,
nous nous sommes
tous regardés
et nous avons crié :
«OUIII !»

Alors nous avons arrosé Baobab
et des fruits sont tombés
sur nos têtes comme des cadeaux
du ciel ! Et les autres enfants
sont repartis, tout contents.

«Paa, ramasse ta part, maintenant.»
De nouveau, Baobab a secoué ses branches.
«Ces fruits sont pour toi. Approche ton oreille…
je vais te dire un secret.
Écoute bien. Si tu prends les graines de mes fruits
et que tu suis la recette que je vais te donner,
tes problèmes seront résolus.»

J'ai suivi la recette de Baobab
et j'ai fabriqué des bonbons délicieux.
Un peu plus tard, installé sur le marché,
je criais :
« Baobonbons ! Baobonbons ! »
Eh oui, c'était le nom que je leur avais donné.
Et je les ai tous vendus dans la matinée.

Voilà comment j'ai pu rapporter
à maman tout ce qu'elle m'avait demandé…
et même plus !

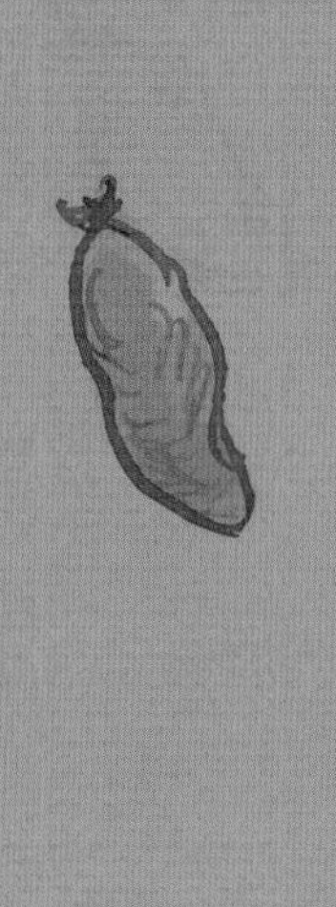